Gabrielle WEBER

Photos : S.A.E.P. / J.L. SYREN et V. MORITZ

ÉDITIONS S.A.E.P.

68040 INGERSHEIM - COLMAR

La fleur séchée est un élément de décoration intermédiaire entre la fleur fraîche et un bibelot : issue de fleurs naturelles, elle en garde autant que possible la forme et la couleur. D'une longévité moyenne de 5 ans, elle décore la maison durablement, s'approchant ainsi de l'utilisation d'un bibelot.

Face au développement industriel de notre société, à cause de l'exode rural, ou tout simplement par goût d'un retour à la nature, mouvement développé par l'apparition des écologistes, la fleur séchée est un élément en pleine expansion, que de plus en plus de ménages disposent dans leur intérieur.

Par son aspect et surtout son odeur de foin, elle rappelle la chaleur de l'été, les champs moissonnés, les prés au moment de la fenaison. L'hiver semble moins rude et c'est pourquoi la fleur séchée est très répandue dans les pays nordiques, où les couleurs vives naturelles ou artificielles des fleurs apportent, en plus des formes et de l'odeur, une certaine chaleur aux foyers.

Dans les régions chaudes où les fleurs destinées au séchage sont abondamment cultivées et où l'on trouve de nombreuses variétés sauvages pouvant sécher, elle entre traditionnellement dans la décoration d'intérieur, souvent dans des teintes pastel, bien que la mode en vienne de plus en plus aux teintes plus vives.

Dans les régions tropicales, la notion de fleurs séchées n'est que très récente car la saison des pluies est fatale aux éléments secs, qui moisissentt en raison de l'humidité qui s'infiltre partout. Pourtant ces régions regorgent d'éléments pouvant sécher, qui apportent une note exotique aux compositions et permettent de nouvelles créations : poupées vêtues d'habits réalisés en feuilles de bananier ou de coccoloba, support réalisé à l'aide de noix de coco vide, etc. De plus, ces éléments assez durs supportent bien l'humidité et entrent de plus en plus dans la décoration intérieure des régions tropicales, ou dans les compositions destinées à l'extérieur dans les régions tempérées (lotus et protée notamment).

Bien qu'étant un élément rustique, la fleur séchée peut être travaillée dans différents styles : on peut réaliser un arrangement traditionnel dans un panier rustique, créer une composition stylisée dans un vase en porcelaine, ou même placer des éléments secs dans un support design en verre et en métal. Chacun peut selon son goût réaliser un bouquet dans le style qu'il préfère et qui s'adapte le mieux à sa décoration intérieure.

Enfin, la fleur séchée est, bien plus que la décoration avec des fleurs fraîches, une activité manuelle qui associe le jardinage, la récolte et le plaisir de créer, à l'aide d'éléments que l'on a soi-même produits, des chefs-d'œuvre à moindre frais.

La fleur séchée est un domaine ouvert à toute nouveauté, elle n'obéit qu'à quelques règles de base qui doivent permettre à chacun de faire sa propre expérience, ses propres essais qui donneront naissance à de nouvelles techniques, à de nouvelles modes.

CHOIX DES VÉGÉTAUX

Lorsque l'on décide de réaliser un arrangement, il faut trouver une gamme assez large de fleurs séchées, gamme qui doit présenter un choix de couleurs, de formes, de tailles. On dispose pour cela de différentes sources d'approvisionnement.

La plus pratique consiste à acheter les fleurs séchées dans les magasins spécialisés (fleuristes, jardineries, magasins de bricolage, etc.), les marchés hebdomadaires, les foires et les fêtes des rues. On va y trouver toutes les variétés que cultivent les professionnels : les Immortelles à bractées, le Statice sinuata ou son cousin le Statice tatarica, les Delphiniums, les Nigelles de Damas ou orientales, ainsi que tous les autres classiques de la fleurs séchée. Mais on trouvera également des végétaux plus rares tels que les Pivoines, le Tournesol, ainsi que toute une gamme de végétaux exotiques tels que les Protées, les feuilles de Coccoloba, les fruits de Lotus...

Enfin, les professionnels ont de plus en plus tendance à vous présenter toutes ces fleurs séchées dans des versions teintées.

Si l'on est un peu moins pressé, on dispose de deux solutions :

– soit on achète des fleurs fraîches que l'on sèche ; cette solution permet de trouver des fleurs exotiques, ainsi qu'une gamme assez large de fleurs pouvant facilement sécher. On peut ainsi acheter et sécher des Roses, du Carthame, des Delphiniums, différentes variétés de Statice, des Protées...

– soit on les cueille dans la nature. C'est certainement la solution la plus utilisée ; en effet, qui n'a pas rapporté un bouquet de graminées, de blé, de chardon, etc. La cueillette dans la nature donne pourtant des résultats moyens, d'abord parce que les fleurs sauvages que l'on peut sécher offrent une gamme assez réduite de couleurs : on trouve surtout du vert et du brun. De plus, un certain nombre de fleurs sont protégées et il faut en tenir compte lors de la cueillette.

Enfin si, en plus de la création florale, on aime jardiner, on peut cultiver des fleurs pouvant sécher. Pour cela, on dispose de deux solutions. On les cultive :

– soit dans son jardin d'ornement en les intégrant parmi les autres variétés décoratives : on y trouve les Roses, les Pivoines, l'Hortensia, l'Edelweiss, le Gypsophile, les différentes Achillées et notamment filipendulina, jaune doré...

– soit dans le jardin potager, dans un carré réservé aux fleurs coupées : c'est là que l'on trouve les rois de la fleur séchée : l'Immortelle à bractée et le Statice sinuata, mais également l'Acroclinium, les Nigelles de Damas, le Xeranthemum, l'Ammobium...

C'est en combinant les sources de fleurs décrites ci-contre que l'on obtient la gamme de fleurs la plus complète : la liste des plantes ci-dessous est un exemple de fleurs de couleur, de forme et de taille différentes pouvant former un bon assortiment de végétaux destinés à la décoration florale.

Fleurs jaunes :

• Achillée filipendulina, plante vivace produisant de longues tiges florales surmontées d'une ombelle jaune doré. On peut trouver cette fleur dans le commerce, fraîche ou sèche. Elle est également très répandue dans les jardins d'ornement.

• Immortelle à bractées jaune doré ou paille : cette annuelle très cultivée dans les potagers est également disponible déjà séchée dans la plupart des commerces spécialisés. On trouve également des Immortelles à bractées orange, rouges, violettes, roses, blanches, saumon.

Fleurs orange :

• Le Carthame, disponible sec ou frais dans les magasins, est une annuelle facile à cultiver dans le potager. Ses inflorescences globuleuses vertes surmontées d'un duvet orange apportent une note originale à vos compositions.

• Les Roses d'Inde, fleurs annuelles cultivées dans les massifs d'été, sèchent très bien. Elles sont également disponibles en jaune.

Fleurs rouges :

C'est une couleur assez rare dans la fleur séchée.

• On y trouve toutefois les Roses rouges. Il faut choisir des variétés orange pour qu'elles soient rouges au séchage, car les Roses rouges fraîches deviennent presque noires en séchant. On peut les acheter fraîches ou séchées ou encore en prélever dans son jardin d'ornement.

• On trouve également les Gomphrénas haageana rouges, petites fleurs annuelles ressemblant à une fleur de trèfle, à cultiver dans son jardin. Cette fleur s'utilise comme l'Immortelle à bractées : en bouquet avec les tiges naturelles ou uniquement la tête florale sans tige, à coller sur les compositions, mais surtout tigée sur fil de fer dans les heures qui suivent sa cueillette.

Fleurs violettes :

• Le Statice sinuata, qui présente de nombreuses couleurs différentes, produit une variété violet foncé que l'on peut acheter fraîche ou sèche, ou cultiver dans son potager.

• Le Gomphrena globosa, cousin de haageana, produit des fleurs violettes très décoratives dans les massifs d'été. On le trouve également en rose et en blanc, mais c'est surtout le violet qui est intéressant, car sa couleur très vive ne ressemble à aucun autre violet.

Fleurs roses :

• Les Delphiniums annuels présentent, entre autres couleurs, des hampes florales rose soutenu faciles à sécher. On les trouve fraîches ou sèches, dans les magasins, mais on peut également les cultiver en annuelles ou en bisannuelles dans son jardin.

• La Pivoine rose sèche très bien. Elle est la fierté de beaucoup de jardins d'ornement. On la cueille dès l'éclosion des boutons floraux. Plus grosse qu'une Rose, la Pivoine obtient un franc succès dans les grandes compositions auxquelles elle donne un cachet aristocratique.

Fleurs bleues :

• La Lavande, que l'on peut acheter sous différentes formes, que l'on cultive facilement dans toutes les régions tempérées, ou que l'on trouve dans les régions méditerranéennes à l'état sauvage, est la fleur bleue séchée la plus connue.

• L'Echinops ritro est un chardon bleu dont les inflorescences en boule apportent une note originale dans les bouquets frais ou secs, ainsi que dans les jardins d'ornement. Il existe également une variété grise, moins décorative, mais plus facile à cultiver.

Fleurs blanches :

• Le Statice tatarica, souvent confondu avec le Gypsophile, est certainement la fleur séchée la plus cultivée. C'est une vivace qui pousse facilement dans les jardins ou dont on peut acheter les hampes florales déjà séchées.

• L'Anaphalis est une autre vivace très décorative dans les jardins, peu exigeante quant au climat mais préférant une exposition fraîche car, en plein soleil, elle souffre de la sécheresse et ne donne pas de belles fleurs.

Végétaux bruns :

On y trouve le feuillage glycériné, les feuilles de Hêtre par exemple, les branches d'arbres tels que le Noisetier tortueux, mais également les Nigelles de Damas, annuelles dont les fruits verts sont striés de grandes nervures brunes. Facilement cultivables à partir des graines contenues dans les capsules, ce sont des plantes que l'on trouve facilement dans les jardins de curé. Bien qu'annuelles, les Nigelles se ressèment si facilement qu'elles réapparaissent plusieurs années de suite dans les jardins.

Végétaux verts :

Ce groupe comprend toutes les graminées dont on peut faire une large moisson dans la nature, mais que l'on peut également cultiver pour obtenir des variétés plus spécifiques telles que le Phalaris canariensis, graminée annuelle présentant une inflorescence en pinceau.

On en trouve également dans le commerce, fraîches comme les Beargrass, herbe fine, longue et coupante, ou sèches, telles que le Setaria qui présente une inflorescence en panicule serrée.

Enfin, on peut ajouter à cette gamme les fruits secs, noix, noisettes, glands, pommes de pins... ainsi que des fruits déshydratés, notamment les tranches d'agrumes ou de pommes, les églantines...

SÉCHAGE ET CONSERVATION

Les plantes ont toutes le même but : se reproduire. Elles vont donc fleurir puis produire des graines. Ainsi, même les Immortelles, qui pourtant paraissent sécher sur pied, obéissent à cette règle et, si on ne les cueille pas au bon moment, le centre de l'inflorescence se couvre d'un duvet dans lequel se trouvent les graines.

La qualité des fleurs séchées dépend donc du stade d'évolution de la plante au moment de la cueillette.

La plupart des variétés pouvant sécher se cueillent dès le début de la floraison. Cela est très important pour les Immortelles qui continuent à s'ouvrir en séchant. Cueillies trop tard, elles vont monter en graines durant le séchage et s'effriter au moindre contact. Cette dernière remarque est également valable pour les Acrocliniums, pour les graminées et les chardons.

Lorsque l'on achète ces variétés chez les fleuristes, il ne faut donc pas les mettre dans un vase jusqu'à ce qu'elles commencent à faner pour les sécher ensuite, mais il faut les mettre à sécher tout de suite.

Les fleurs en épis, en boules, en corymbe, en buisson, telles que les Delphiniums, les Gomphrénas, les Ageratums, le Gypsophile ou les Statices sont à cueillir lorsque les deux tiers de l'inflorescence sont épanouis.

Seul un petit nombre de variétés se cueille plus tard. C'est le cas des Achillées, des Lonas, des Amarantes qui, cueillies trop tôt, vont perdre leur couleur au séchage. C'est également le cas des variétés dont on récolte les fruits (Nigelles, Pavots, Physalis ou Lanterne chinoise) ; il faut attendre que le fruit soit bien formé.

La plupart des fleurs se cueillent avec leurs tiges, mais on peut couper les Immortelles à bractées et les Gomphrénas juste sous la tête florale pour pouvoir les tiger dans les heures qui suivent (et non lorsque les fleurs sont sèches).

LE SÉCHAGE

Il existe différentes méthodes pour sécher les fleurs. La plus connue et la plus pratique est sans conteste le séchage à l'air.

Cette méthode consiste à réaliser des bottes de fleurs que l'on noue avec un élastique (les tiges des fleurs réduisent de volume en séchant et ne sont pas maintenues dans les bouquets noués avec une ficelle). Puis on accroche ces bottes à l'aide d'un crochet, la tête en bas, dans un endroit sec, aéré et sans lumière (il peut s'agir d'une grange, d'un grenier, d'une chaufferie, ou éventuellement d'une pièce de la maison, au-dessus d'un radiateur, loin de la fenêtre). Le séchage varie de 3 jours à plusieurs semaines selon les espèces et le climat.

Le séchage la tête à l'envers permet d'obtenir des fleurs séchées bien droites : lorsqu'un végétal se déshydrate, la tige devient molle et ne parvient plus à maintenir les inflorescences droites. Séchées à l'endroit, les têtes florales se pencheraient donc, inclinaison devenant définitive lorsque le séchage serait terminé.

Certaines variétés peuvent être séchées à plat. C'est notamment le cas des graminées et des têtes de fleurs destinées au collage (Immortelles à bractées, Soucis...).

D'autres peuvent être tout simplement séchées dans un vase sans eau ; c'est le cas des Immortelles à bractées et des Gomphrenas tigés (c'est-à-dire montés sur du fil de fer avant le séchage), mais également des Roseaux, des Protées et de toute autre fleur à tiges très rigides, dont la tête florale ne risque pas de pencher lors du séchage.

Pour les fruits, et notamment les tranches d'agrumes, le séchage se fait également à l'air, mais pour éviter que les fruits ne pourrissent durant le séchage, il faut que celui-ci soit rapide. Pour cela, on va utiliser un séchoir à fruits, appareil ménager constitué de plusieurs grilles superposables, grilles que l'on remplira de fruits et posera sur la résistance chauffante. La chaleur déshydratera les fruits en 24 à 48 heures. On peut essayer de les sécher dans une cuisinière après la cuisson d'un repas, alors que le four est encore tiède. Mais il ne faut pas que la température soit supérieure à 70 °C car les fruits cuiraient.

Enfin, on peut conserver certains végétaux grâce à la glycérine et plus particulièrement les feuillages de Charme, de Hêtre et d'autres arbres à feuillages caducs. Pour cela, on cueille les branches en été, lorsque les feuilles sont bien formées et que la sève circule encore. On place les branches dans un vase rempli d'un mélange d'eau chaude et de glycérine et on laisse les végétaux boire ce mélange durant un minimum de 3 semaines. Les feuilles auront vite viré au brun, mais resteront brillantes et souples, et surtout elles demeureront fixées à la branche au lieu de tomber à l'automne.

Les feuilles automnales, avec leurs belles couleurs jaunes, rouges, orange ne peuvent être conservées que pressées entre des feuilles de papier. En effet, la sève ne circulant plus dans les branches, la glycérine ne pénètre plus dans les feuilles.

LA CONSERVATION ET LE STOCKAGE

Une fois sèches, il peut s'avérer judicieux de décrocher les fleurs, de les placer dans des cartons que l'on va stocker à l'abri de l'humidité et de la lumière. Ces deux facteurs sont en effet les pires ennemis de la fleur séchée.

L'humidité, réapparaissant à l'automne avec les brouillards qui s'infiltrent partout, réhydrate les fleurs, qui vont inévitablement moisir. C'est pour cette raison que les arrangements pour le cimetière comprenant des fleurs séchées ont une durée de vie limitée à quelques mois, voire quelques semaines, en période pluvieuse.

La lumière, quant à elle, va décolorer les fleurs plus ou moins rapidement. C'est pour cela que le séchage se fait au noir, et c'est également pour cela qu'il faut éviter de placer les arrangements secs près des fenêtres. Il vaut mieux laisser ces emplacements aux plantes vertes qui sont friandes de lumière, pour placer les bouquets secs là où justement les plantes vivantes ne tiennent pas.

À ces deux agents dommageables, on peut ajouter la poussière, les mites, la friabilité des fleurs. La poussière est certainement ce qui dérange le plus les ménagères ; il n'existe aucun système vraiment efficace pour l'empêcher de se déposer. On peut toutefois limiter les dégâts en passant régulièrement un sèche-cheveux sur les fleurs. Celui-ci va décoller la poussière. En pulvérisant, après cela, de la laque à cheveux sur l'arrangement, on redonnera un peu de brillant au tout.

Dans tous les cas, un bouquet sec n'est pas éternel. Il faut le remplacer, en moyenne, au bout de 5 ans.

Les mites, petits papillons qui pondent leurs œufs dans les fleurs, sont très friandes de Roses, Delphiniums vivaces, Pivoines, tranches d'agrume, etc. Leurs dégâts sont facilement reconnaissables : les larves grignotent les fleurs, qui tombent en miettes, et elles laissent leurs déjections (poussière brune). Pour les combattre, il faut placer des plaquettes antimites dans les pièces de séchage et de stockage.

On trouve également les rongeurs parmi la famille des nuisibles et notamment les souris, qui, non contentes de dévorer les céréales (blé, maïs, etc.) utilisent les fleurs pour réaliser leurs nids. Il faut donc stocker les fleurs hors de leur portée ou lutter à l'aide de pièges.

La friabilité des fleurs pose un problème lors de la réalisation des arrangements et lors de leur exposition dans la maison : pour travailler facilement des fleurs séchées, on peut réduire leur friabilité en les plaçant, la nuit précédant la réalisation des arrangements, dans un endroit humide (à l'extérieur à l'automne quand la rosée ou le brouillard sont abondants). Les fleurs reprennent de l'humidité et sont moins fragiles. Pour les arrangements terminés, lorsqu'on a des enfants ou des animaux domestiques, il est préférable de placer les fleurs hors de leur portée pour qu'ils ne soient pas tentés de les casser. Il vaut mieux également éviter de les placer dans un lieu de passage où l'on va facilement les frôler et donc les casser.

LE MATÉRIEL

1 Agrafeuse
2 Pistolet à colle
3 Pince coupante
4 Sécateur
5 Ciseaux
6 Couteau
7 Crochets à tableau
8 Fil de fer
9 Tabourets
10 Floratape
11 Raphia
12 Cordelette de papier
13 Mousse florale
14 Laque à cheveux
15 Oasis fix
16 Ruban en tissu
17 Ruban en papier
18 Mousse végétale

15
17
1
18
2
3
5
6
4
7

14
16
13
12
11
9
10

PRÉPARATIONS DE BASE

Pour réaliser des compositions, il faut tout d'abord préparer les fleurs et les supports.

La plupart des fleurs séchées traditionnelles sont petites et possèdent des tiges fragiles. Pour leur permettre de s'exprimer pleinement au sein de l'arrangement et pour faciliter leur utilisation, on va regrouper plusieurs tiges et les monter sur du fil de fer.

Rassembler les fleurs en un petit bouquet. Les tenir entre le pouce et l'index avec le fil de fer.

Entourer plusieurs fois le fil de fer au même endroit. Le nouer.

Couper les tiges et former une fourche avec le fil de fer restant.

Les fleurs sont généralement placées à différents niveaux pour réaliser une flèche, ceci afin d'obtenir des arrangements bien stylisés, n'ayant pas un aspect de masse compacte.

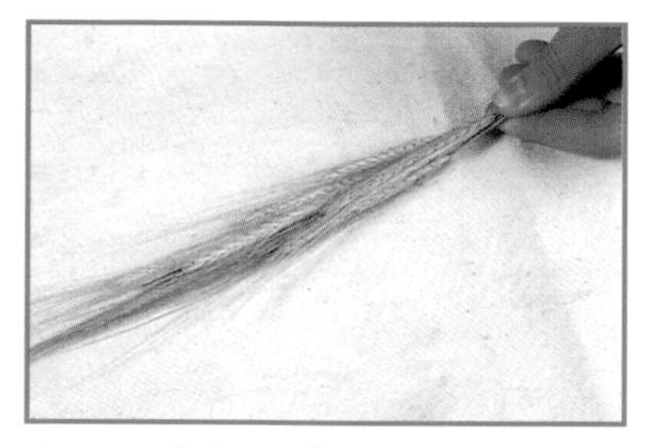

Aucun épi ne doit se trouver au même niveau que son voisin. Le tout forme une flèche.

À ne pas faire.

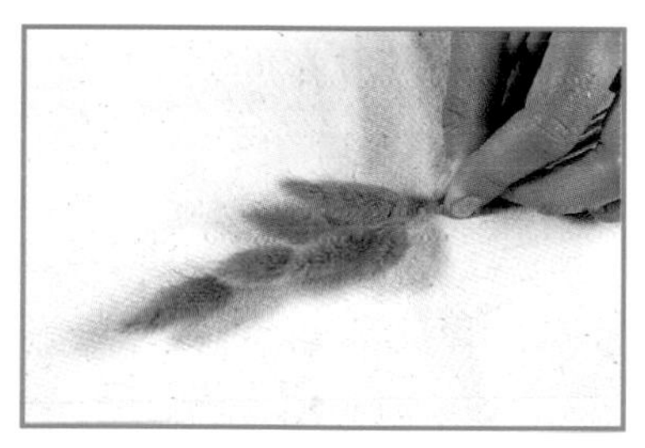

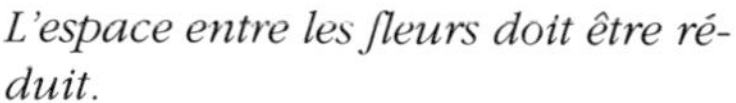

L'espace entre les fleurs doit être réduit.

À ne pas faire.

Lorsque l'on réalise de très grands arrangements avec des variétés à tiges fragiles, après la réalisation des petits bouquets, on les monte sur une tige rigide assez longue (canne de maïs, tuteur...), à l'aide de fil de fer.

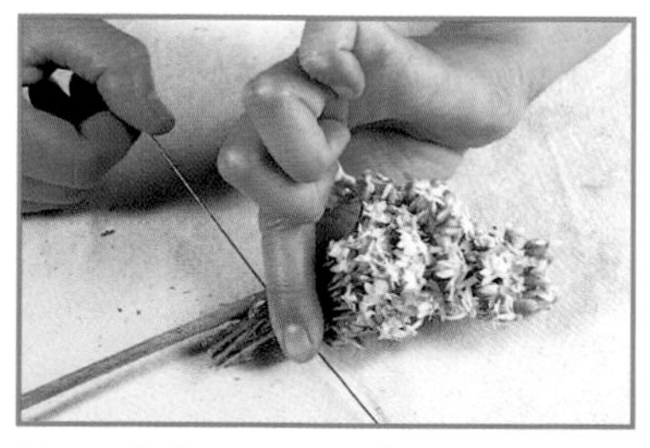

Tenir le bouquet et la tige entre le pouce et l'index à l'endroit où l'on va nouer le fil de fer.

Enrouler fortement le fil de fer autour des tiges en tire-bouchon.

Les fleurs telles que les Immortelles à bractées et les Gomphrénas peuvent être montées individuellement sur du fil de fer. Cette opération se fait dans les heures qui suivent la cueillette, alors que les fleurs sont encore fraîches. Pour cela, on coupe les têtes florales à un demi-centimètre sous l'inflorescence, puis on enfonce le fil de fer dans la tige jusqu'à ce qu'il pénètre dans la fleur sans la traverser. En séchant, la tige va se rabougrir et donc se fixer solidement au fil de fer.

Le montage individuel sur fil de fer après le séchage est à déconseiller car fastidieux et à résultats médiocres. Il vaut mieux, pour des fleurs non tigées, en venir à la méthode décrite précédemment : les monter en petits bouquets sur fil de fer (p. 14).

Les fleurs tigées individuellement peuvent être montées en branches de plusieurs fleurs, grâce au floratape.

Recouvrir tous les fils de fer de floratape sur 5 à 7 cm. Assembler les tiges les unes après les autres en les liant au fur et à mesure avec du floratape.

L'autre opération très importante consiste à fixer solidement la mousse florale au support. On trouve quatre cas différents :

– sur un support plat en osier, on colle la mousse florale à l'aide du pistolet à colle, puis on solidifie en fixant le tout à l'aide d'un fil de fer ;

– sur un support plat et lisse, la mousse florale est tout simplement collée ;

– dans un panier, on fixe la mousse florale à l'aide d'un fil de fer ;

– dans une poterie, la mousse florale est maintenue à l'aide d'un tabouret et d'oasis fix.

***Sur un support plat** : découper une plaque de mousse de la taille voulue. L'encoller.*

La mettre en place. Poser un peu de mousse végétale. Maintenir l'ensemble avec du fil de fer.

Sur un support lisse *: découper une plaque de mousse florale aux dimensions nécessaires.*

La coller en appuyant fortement.

Dans un panier *: piquer un morceau de fil de fer à travers le panier contenant la mousse découpée à la bonne taille.*

Placer un morceau de mousse végétale sous le fil de fer afin que ce dernier ne coupe pas la mousse florale. Torsader les deux extrémités du fil.

Dans une poterie *: coller un tabouret sur une bille d'oasis fix au fond de la poterie.*

Y enfoncer la mousse jusqu'au fond. Couper les angles.

Symétrie

VÉGÉTAUX
Avoine
Lavande
Statice sinuata bleu clair
Acroclinium.

FOURNITURES
Pot en verre assez lourd, opaque
Mousse florale
Tabouret
Oasis fix
Fil de fer.

1 Préparer la forme « goutte d'eau » avec des petits bouquets d'Avoine.

2 Accentuer le graphisme par des flèches de Lavande. Ajouter le Statice sinuata de manière à combler les espaces entre les flèches d'Avoine.

3 Ajouter des petits bouquets compacts et courts d'Acroclinium.

Le fauteuil

VÉGÉTAUX

Phalaris
Statice sinuata blanc
Pavot 'somniferum' teinté bleu
Helipterum sandfordii.

FOURNITURES

Fauteuil à poupée
Poupée en toile de jute et bois
Mousse florale
Fil de fer
Lierre artificiel.

1 Mise en place du graphisme avec les Phalaris. Chaque morceau de mousse florale est travaillé comme un arrangement individuel.

2 Ajouter des morceaux de Lierre pour accentuer le graphisme. Préparer le fond de la composition avec les Statices blancs.

3 Ajouter les Pavots individuellement et les Helipterums montés sur fil de fer en petits bouquets compacts. Fixer la poupée avec un fil de fer noué autour de sa taille et passé dans la vannerie.

Brasseur

VÉGÉTAUX

Bromus macrostachys
Carthame
Briza maxima
Alchemille
Physalis.

FOURNITURES

Boîte en bois
Mousse florale
Oasis fix
Tabouret
Fil de fer.

1 Mise en place du graphisme de la composition à l'aide de petits bouquets de Brome.

2 Ajouter les Carthames piqués individuellement tout en dirigeant les tiges vers le point focal.

3 Accentuer les flèches de Brome avec des petits bouquets de Briza.

4 L'Alchemille doit alléger la composition. On la place par petites touches. Les Physalis sont, soit piqués dans la mousse florale avec leur tige naturelle, soit collés.

Chapeau

VÉGÉTAUX
Setaria
Statice tatarica
Lavande
Immortelle à bractées jaune.

FOURNITURES
Chapeau de paille
Lierre artificiel
Mousse florale
Fil de fer.

1 Mettre en place le graphisme avec des bouquets de Setaria.

2 Remplir la base de Statice tatarica : masquer au maximum la mousse florale par des petits bouts, laisser sortir quelques pointes plus longues pour que l'ensemble présente une forme en étoile. Accentuer les flèches de Setaria par de la Lavande.

3 Ajouter le Lierre : par branche entière, pour sortir de la composition, par petits bouts, pour combler la base. Coller quelques têtes d'Immortelles en les regroupant par 2 ou 3.

Couronne d'été

VÉGÉTAUX
Statice tatarica
Phalaris
Immortelle à bractées saumon, tigée
Statice sinuata bleu clair.

FOURNITURES
Couronne en paille
Fil de fer
Cordelette en raphia.

1 Monter toutes les fleurs sur fil de fer, par petits bouquets de 2 ou 3 variétés.

2 Pour réaliser des bouquets solidement liés, tenir les fleurs entre le pouce et l'index et placer un fil de fer sur les fleurs.

3 Prendre un côté du fil de fer et l'enrouler fermement.

4 Replier le fil de fer perpendiculairement aux tiges des fleurs et les couper à 4 ou 5 cm de long.

5 Piquer les bouquets de fleurs, les pointes toujours dans le même sens, en alternant les différentes variétés.

6 Continuer à placer les fleurs en prenant soin d'en mettre sur les côtés pour cacher totalement la couronne.

7 Placer un bouquet par-dessus la cordelette de raphia de manière à l'intégrer totalement aux fleurs.

Bordeaux

VÉGÉTAUX

Vigne vierge
Laurier-sauce
Tranches d'orange séchées
Immortelles à bractées
Pavot « Hen and Chickens » doré.

FOURNITURES

Plateau doré
Bouteille de vin
Verre à vin.

1 Faire une couronne très lâche avec la Vigne vierge. La fixer par 3 points de colle sur le plateau. Coller les branches de Laurier-sauce sur la vigne.

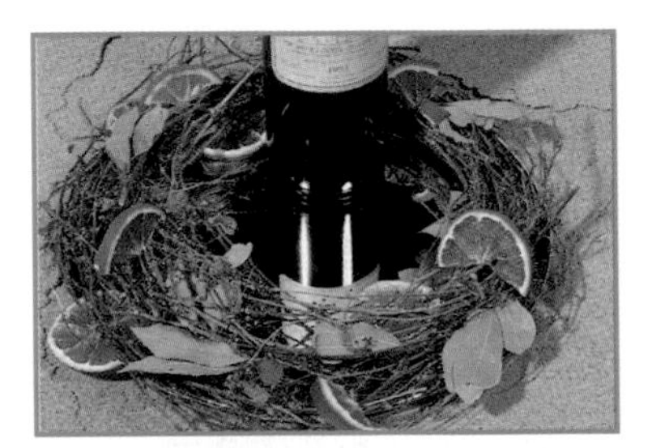

2 Couper les tranches d'orange en deux ou en un tiers/deux tiers et les coller soit à l'horizontale, soit à la verticale.

3 Ajouter les Immortelles et les Pavots. Laisser 4 à 5 cm de tige aux Pavots et ne mettre la colle que sur la tige.

PIC
GRAND VIN DE BORDEAUX
CHATEAU DE
1993

Fagot de Saule

VÉGÉTAUX

Branche de Saule pour vannerie
Avoine
Pavot teinté bleu
Laurier-sauce
Immortelle à bractées jaune.

FOURNITURES

Fil de fer
Mousse florale
Ruban
Oiseau en papier.

1 Rassembler les branches de Saule en fagot. Coller un petit bout de mousse florale. Consolider le tout avec du fil de fer.

2 Mettre en place le graphisme avec l'Avoine.

3 Piquer quelques tiges d'Avoine à l'opposé de la flèche pour que la composition ressemble à un bouquet couché. Placer les feuilles de Laurier à l'horizontale. Piquer et coller les Pavots.

4 Réaliser un nœud avec le ruban. Le piquer dans la mousse. Coller l'oiseau puis les têtes d'Immortelles.

Futuriste

VÉGÉTAUX

Dipsacus teinté rouge
Nigelle de Damas
Feuille de Fougère
Tige de Seigle teinté vert.

FOURNITURES

Cône en verre opaque vert avec son support
Mousse florale
Fil de fer
Grillage blanc
Perles jaunes.

1 Fixer 3 fagots de Seigle en les croisant. Fixer le grillage à l'aide de fil de fer double.

2 Mettre le graphisme en place avec les Fougères.

3 Piquer les Dipsacus une par une en commençant par les plus longues pour finir par les plus courtes.

4 Cacher la base par des bouquets de Nigelles et des tiges de Dipsacus. Monter les perles sur fil de fer et les répartir sur la composition.

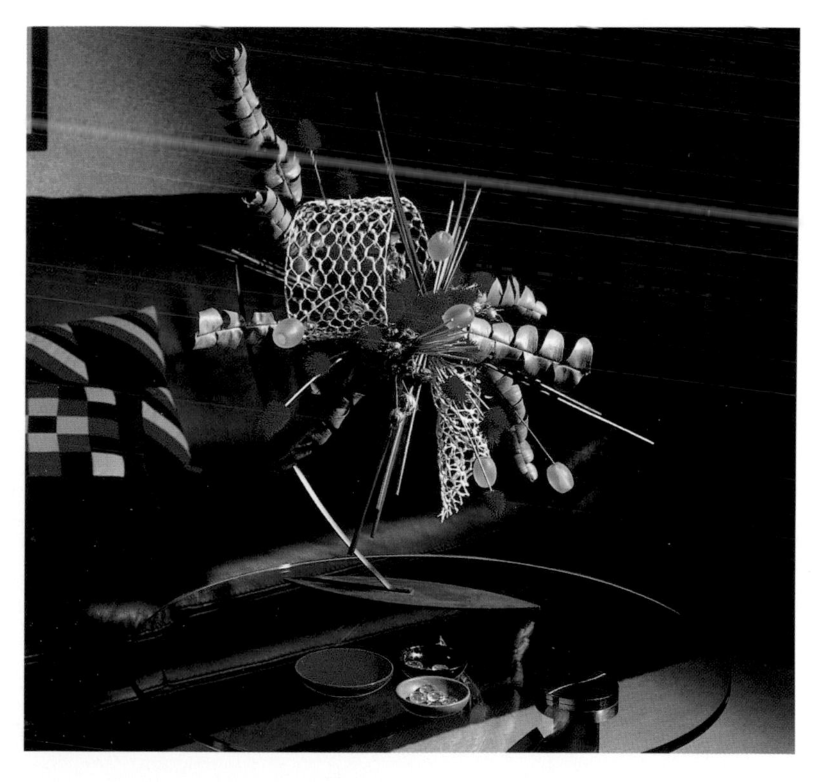

Fontaine végétale

VÉGÉTAUX

Lagurus teinté rose
Eucalyptus
Lin teinté bleu
Phalaris canariensis
Carex feuille
Feuille de Myrtille
Tige de Seigle teinté vert.

FOURNITURES

Pot en terre et en osier
Oasis fix
Tabouret
Fil de fer
Boule de céréales.

1 Réaliser un fagot avec les tiges de Seigle au centre et les feuilles de Carthame autour. Lier le fagot à la base et à mi-hauteur avec du fil de fer. Fixer un tabouret sur le support avec l'oasis fix et le pistolet à colle. Emboîter le fagot sur le tabouret. Écarter quelques feuilles de Carex à mi-hauteur et nouer le reste à 10 cm de la pointe. Monter les boules de céréales sur fil de fer et les fixer sur le fagot en introduisant le fil de fer entre les feuilles de Carex.

2 Réaliser des bouquets de Lin dont les tiges en fil de fer sont introduites dans le fagot.

3 Faire de même avec des petits bouquets de Lagurus.

4 Utiliser toujours la même méthode pour les Phalaris. Pour la base, glisser le fil de fer sous celui qui a servi à nouer le fagot.

5 Coller quelques feuilles de Myrtille sur les feuilles de Carex. Introduire les feuilles entre les tiges des fleurs de la base.

Arts graphiques

VÉGÉTAUX
Noisetier tortueux
Sorgho
Rose jaune
Mousse d'Islande glycérinée
teintée jaune
Physalis.

FOURNITURES
Vase en céramique vert
Mousse florale
Fil de fer.

1 Mettre en place le graphisme : la flèche principale est faite en Sorgho. Le reste des tiges auxquelles on a enlevé les feuilles est rassemblé en fagot grâce à du fil de fer dont les fourches perpendiculaires aux tiges permettent de le piquer sur la mousse. Ajouter les branches de Noisetier.

2 Accentuer le graphisme avec les Roses piquées une à une, de la plus longue à la plus courte.

3 Monter les feuilles de Sorgho sur fil de fer et les placer en étoile autour du point focal.

4 Combler les trous avec de la mousse d'Islande fixée avec du fil de fer double.

5 Monter les Physalis sur fil de fer comme indiqué dans le chapitre concernant le matériel (p. 14). Ceci permet de donner l'inclinaison voulue à la branche.

Champ de Blé

VÉGÉTAUX

Blé sans barbe
Blé à barbe
Delphinium annuel rose
Immortelle à bractées rose
Mousse plate.

FOURNITURES

Panier carré en écorce de bouleau
Fil de fer
Mousse florale
Rubans de papier rose.

1 Pour s'assurer que la composition soit bien verticale, placer la vannerie sur le côté. Après avoir piqué les blés, par 3 ou 4 tiges, en commençant au milieu de la première ligne, que l'on complète d'abord vers soi, tourner la vannerie de 180° et terminer l'autre moitié de la ligne.

2 Replacer la vannerie face à soi. Terminer de piquer le blé sans barbe en plaçant chaque épi à la même hauteur. Réaliser un second groupe avec le blé à barbe 4 cm plus bas.

3 Placer le Delphinium en utilisant les épis fleuris, mais également les boutons floraux. Cacher la mousse florale encore visible avec de la mousse plate fixée avec des épingles doubles réalisées avec du fil de fer. Terminer la composition en ajoutant un nœud en ruban que l'on décore en y collant des têtes d'Immortelles et de Blé.

Chant de Blé

VÉGÉTAUX
Blé sans barbe
Avoine
Delphinium annuel rose
Pavot teinté bleu
Mousse plate.

FOURNITURES
Panier carré en écorce de bouleau
Mousse florale
Fil de fer
Ruban en papier.

1 Piquer les fleurs par deux ou trois en alternant les différentes variétés. Chaque tige doit être bien verticale. Pour cela, tourner régulièrement la vannerie pour vérifier qu'aucune fleur ne penche du mauvais côté.

2 Cacher la mousse florale par de la mousse plate que l'on fixe avec du fil de fer double. Entourer les fleurs d'un ruban en papier en le tendant bien. Réaliser un nœud à part et le piquer dans la mousse florale.

Champs de Lavande

VÉGÉTAUX
Lavande
Branche de Lierre
Mousse plate.

FOURNITURES
Pot en terre
Mousse florale
Fil de fer
Ruban.

1 Piquer les premiers bouquets au centre du pot en allongeant les tiges trop courtes avec du fil de fer.

2 Placer les bouquets suivants tout autour en tournant régulièrement le pot. Pour cacher les tiges et le fil de fer, placer des bouquets de plus en plus courts sur les bords.

3 Cacher la mousse florale encore visible par de la mousse plate fixée avec du fil de fer double. Faire un nœud avec le ruban en y coinçant la branche de Lierre.

Bouquet sans-souci

VÉGÉTAUX

Statice sinuata blanc
Immortelle à bractées jaune
Phalaris
Blé à barbe
Carthame.

FOURNITURES

Raphia synthétique.

Bien que ce bouquet soit assez compliqué à réaliser, je l'ai appelé « sans-souci » car il tient debout tout seul et l'on n'a donc pas à chercher de vase adapté au bouquet.

1 Assembler plusieurs fleurs que l'on noue solidement en passant le raphia entre les tiges, de temps à autre.

2 Toutes les fleurs que l'on ajoute sont inclinées, puis nouées. Le bouquet obtenu doit être bien rond.

3 Couper les tiges du centre du bouquet assez court.

4 Ajouter le Blé par petits paquets tout en continuant à nouer et en tournant régulièrement le bouquet.

5 Couper tout le Blé au même niveau mais plus long de 3 à 5 cm que les tiges du centre.

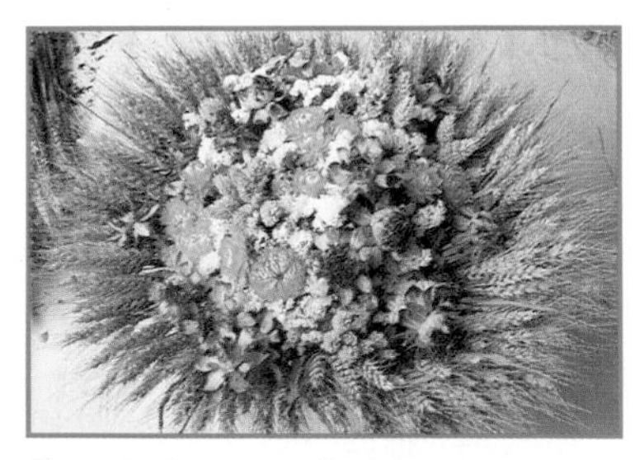

6 Vérifier que le bouquet tient debout. Sinon, retailler les tiges.

Biedermeier

VÉGÉTAUX
Ammobium
Phalaris canariensis
Statice sinuata
Gomphrena violet.

FOURNITURES
Collerette
Fil d'ange
Floratape.

Monter toutes les fleurs sur fil de fer, par petits bouquets monovariétaux, sans laisser de tiges naturelles. Recouvrir le fil de fer de floratape.
Utiliser du fil de fer très fin appelé fil d'ange car les fleurs ont des tiges très fines. Assembler les petits bouquets en alternant les variétés et en maintenant le bouquet juste sous les fleurs. Recouvrir les tiges de floratape. Enfiler le bouquet dans la collerette que l'on maintient en place avec du floratape.

Bouquet aéré

VÉGÉTAUX

Avoine
Delphinium annuel bleu foncé
Lavande
Achillée 'millefolium'
« Summer Pastel »
Immortelle à bractées orange.

FOURNITURES

Raphia naturel ou synthétique
Fil de fer
Ruban fleuri.

1 Préparer des petits bouquets de fleurs. Les tiges trop courtes sont montées sur du fil de fer (Lavande).

2 Commencer à regrouper les petits bouquets en prenant soin de bien alterner les différentes variétés.

3 Maintenir le bouquet fermement au point focal. Le reste de fleurs est ajouté en inclinant de plus en plus les tiges afin de ne pas compacter l'ensemble.

4 Nouer le bouquet solidement à l'aide du raphia en cours de réalisation ou à la fin.

5 Couper les tiges à l'aide d'un sécateur et d'une pince coupante pour fil de fer.

6 Vérifier que le bouquet est rond et bien équilibré.

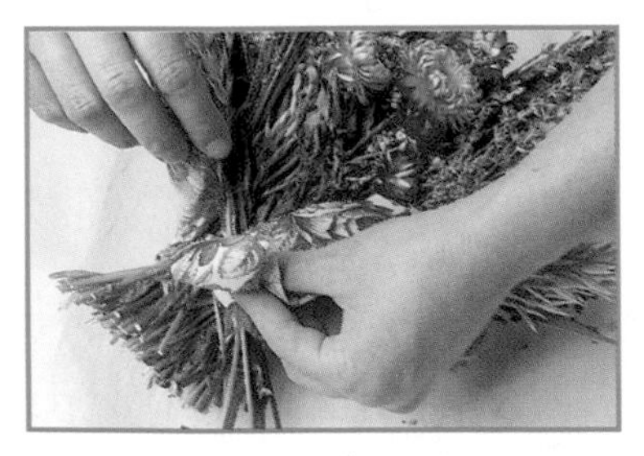

7 Ajouter un ruban pour masquer le raphia.

Bouquet graphique

VÉGÉTAUX
Sorgho
Phlomis
Anaphalis
Immortelle à bractées jaune tigée.

FOURNITURES
Feuille de Philodendron artificielle
Lierre artificiel
Fil de fer
Floratape.

1 Toutes les fleurs et les feuilles, sauf les épis de Sorgho, sont montées sur du fil de fer que l'on recouvre de floratape.

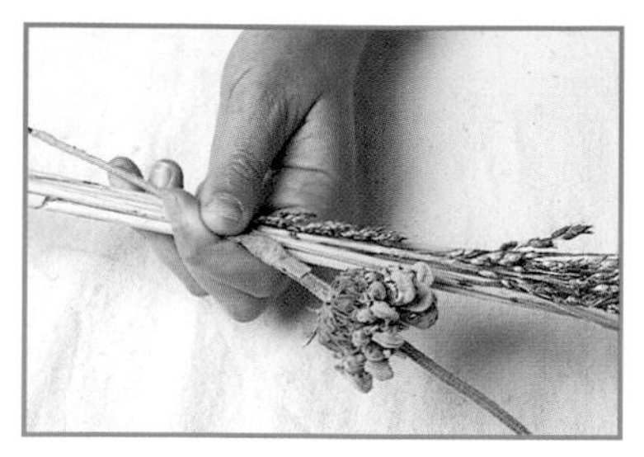

2 Réaliser une pointe de Sorgho que l'on accentue avec du Phlomis.

3 Le point focal du bouquet se trouve à l'endroit où l'on tient le bouquet, où on le lie, où l'on ajoute le reste des végétaux. Il faut veiller à ce qu'il reste au même endroit durant toute la création.

4 Ajouter les feuilles de Sorgho en piquant le fil de fer à travers l'enchevêtrement des premières tiges, puis les incliner.

5 Après avoir ajouté les feuilles artificielles, lier une première fois le bouquet à l'aide du floratape.

6 Ajouter les bouquets compacts d'Anaphalis pour étoffer le centre du bouquet.

7 Introduire les tiges d'Immortelles à travers l'enchevêtrement des tiges. On recouvre l'ensemble des tiges avec du floratape.

Natte

VÉGÉTAUX
Blé sans barbe
Statice sinuata rose
Gomphrena rose
Lavande.

FOURNITURES
Natte en paille
Ruban rose
Mousse florale
Fil de fer.

1 La mousse florale est collée et fixée avec du fil de fer.

2 Mise en place du Blé : les pointes du fil de fer sont perpendiculaires au Blé, ce qui permet de piquer les bouquets de Blé sur la mousse florale, bien à plat. On complète le premier arrangement.

3 Réaliser les 2 autres arrangements identiques au premier. Placer la Lavande de manière à souligner le Blé. Piquer le Statice par petits bouts en réalisant des taches de couleur. Terminer en plaçant des petits bouquets de Gomphrena ou en collant les têtes sur la mousse florale.

Tableau épicé

VÉGÉTAUX

Phalaris canariensis
Statice sinuata bleu clair
Delphinium annuel violet
Ageratum
Immortelle à bractées saumon.

FOURNITURES

Cannelle en bâton
Anis étoilé
Raphia naturel
Fil de fer
Mousse florale
Plateau en rotin.

MONTAGE DE LA CANNELLE

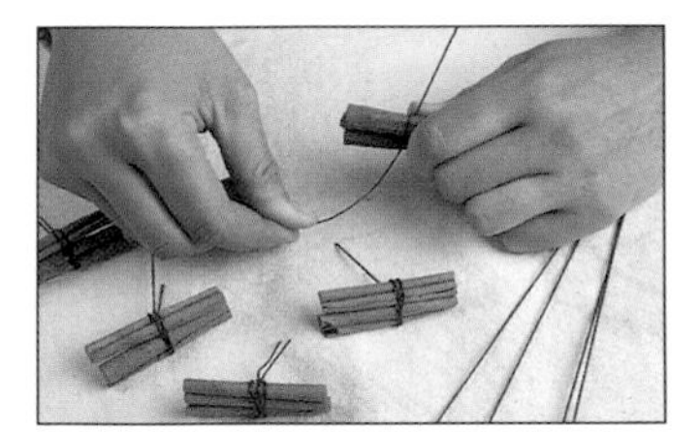

1 Regrouper 2 bâtons de cannelle grâce à un fil de fer ; fixer solidement en maintenant le fil de fer et la cannelle entre le pouce et l'index. Laisser 2 pointes de fil de fer.

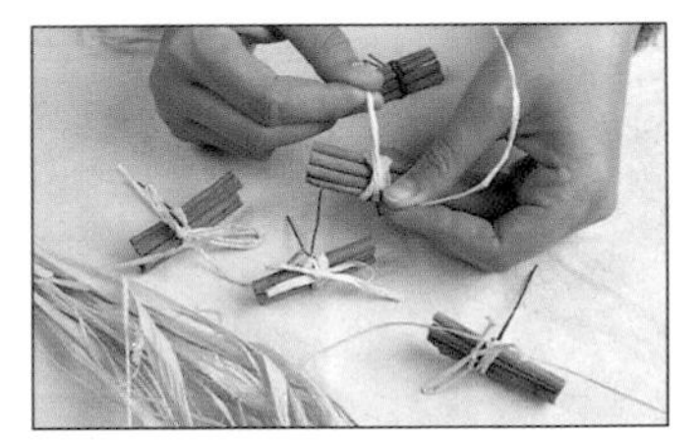

2 Dissimuler le fil de fer avec du raphia.

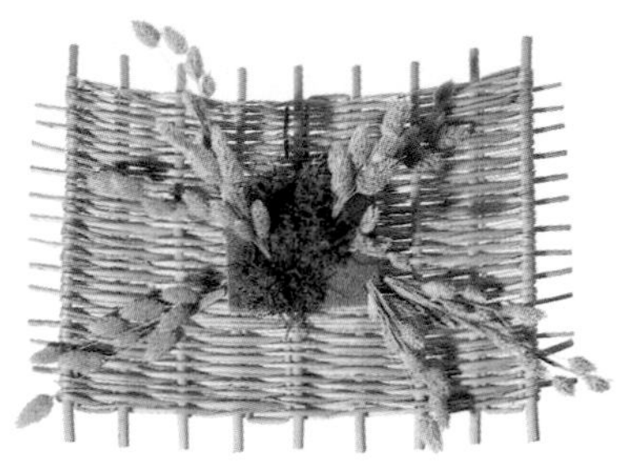

1 Fixer un carré de mousse florale au centre du plateau en rotin. Réaliser des petits bouquets de Phalaris que l'on place de manière à réaliser le graphisme de la composition. Les bouquets se dirigent tous vers le point focal.

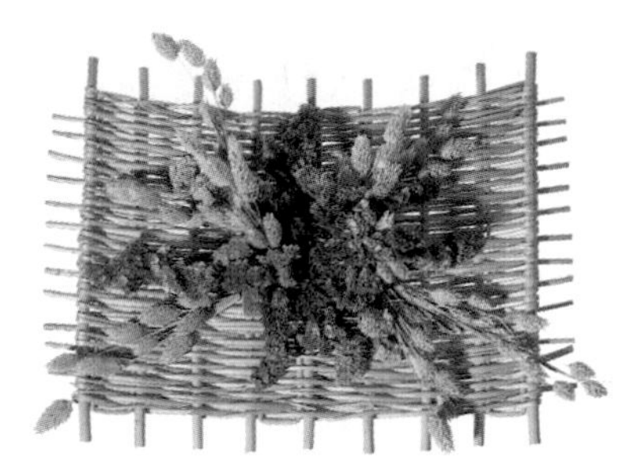

2 Ajouter le Statice par petits bouts en prenant soin de les regrouper de manière à former des taches de couleur.

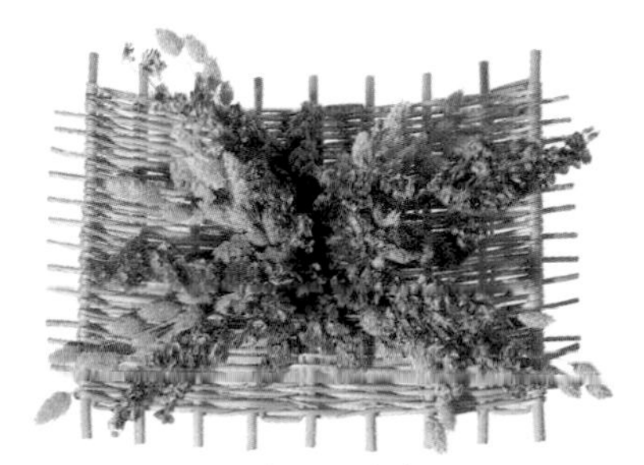

3 On pique les Delphiniums par petits bouquets pour accentuer le graphisme de la composition.

4 Les fagots de cannelle sont piqués dans la mousse florale grâce à leur fourche en fil de fer. L'anis étoilé est collé à l'aide du pistolet à colle, tout comme les têtes d'Immortelles.

Saint-Valentin

VÉGÉTAUX

Rose ancienne de Puteaux
Edelweiss
Phalaris canariensis
Gomphrena rose.

FOURNITURES

Cœur en vannerie teintée
Mousse florale
Fil de fer
Lierre artificiel.

1 Placer la mousse florale dans la vannerie de manière à en couvrir la presque totalité du fond. La fixer à l'aide de fil de fer. Piquer les feuilles dans la mousse en les plaçant bien à l'horizontale.

2 Réaliser un cœur en Phalaris pour accentuer la forme de la vannerie.

3 Placer les Roses au centre du cœur, très serrées.

4 Coller des têtes de Gomphrena dans un espace libre. Pour le tour extérieur, il vaut mieux utiliser des Gomphrenas tigés, pour pouvoir atteindre la mousse florale, même lorsqu'elle n'est pas au bord de la vannerie.

5 Terminer en collant des têtes d'Edelweiss dans l'espace restant.

Fête des mères

VÉGÉTAUX

Stachys lanata
Immortelle 'cassinianum'
Pennisetum
Statice sinuata bleu clair
Immortelle à bractées violette.

FOURNITURES

Panier évasé en écorce de bouleau
Mousse florale
Fil de fer
Collerette
Accessoires de maquillage.

1 Mettre en place le graphisme à l'aide du Stachys et préparer la base avec des petits morceaux de Statice, placés en taches de couleur. Disposer la collerette, fixée à la vannerie et à la mousse florale avec du fil de fer.

2 Ajouter des petits bouquets de Pennisetum.

3 Combler la base de petits bouquets d'Immortelles 'cassinianum' montés sur fil de fer. Boucher les derniers trous avec des Immortelles à bractées collées à l'aide du pistolet à colle en ménageant une place pour les accessoires de maquillage.

Noël

VÉGÉTAUX
Phalaris canariensis
Immortelle à bractées saumon
Broom Bloom teinté
Fève d'arbre de Judée teintée or.

FOURNITURES
Triple panier
2 bougies fines dorées
1 grosse bougie dorée
Guirlande or
Mousse florale
Fil de fer.

MONTAGE DES BOUGIES

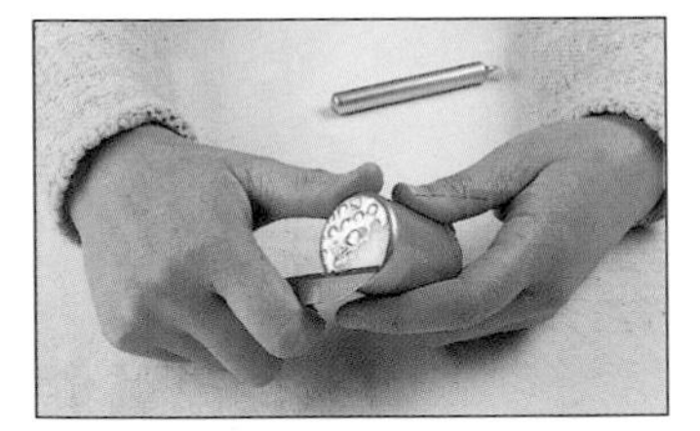

1 Avec un couteau, enlever la pellicule de couleur sous la bougie.

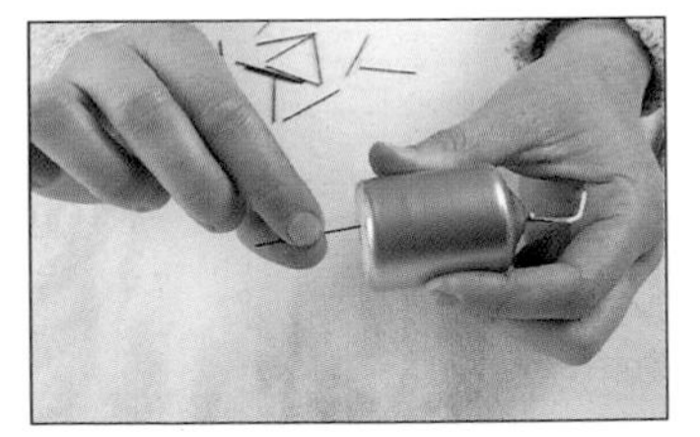

2 Enfoncer deux pointes de fil de fer de 3 à 4 cm de long en prenant garde de ne pas casser la bougie.

1 Garnir les paniers de mousse florale. Piquer les bougies à des niveaux variables. Placer les Phalaris légèrement vers le bas.

2 Monter les fèves d'arbre de Judée individuellement sur fil de fer. Les placer sur la vannerie en les superposant.

3 Piquer des petits buissons de Broom Bloom près des bougies sans qu'ils les touchent pour éviter tout problème d'incendie.

4 Coller les flèches d'Immortelles par petits groupes de deux ou de trois. Fixer la guirlande en dessinant de larges boucles.

Panier champêtre

VÉGÉTAUX
Statice tatarica
Physalis
Phalaris canariensis
Alchemille
Immortelle à bractées orange
Carthame.

FOURNITURES
Panier sans anse
Mousse florale
Fil de fer.

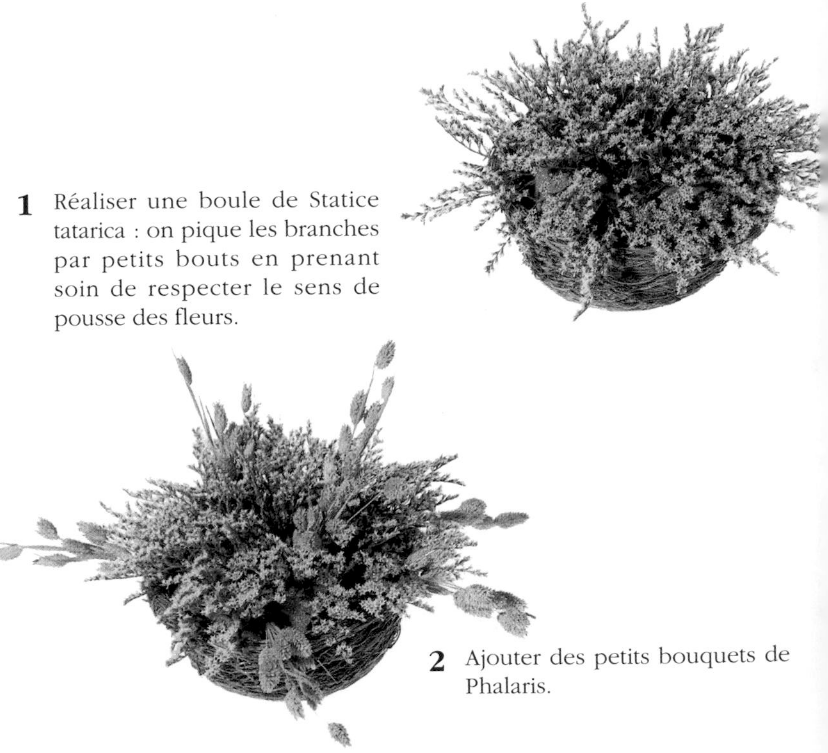

1 Réaliser une boule de Statice tatarica : on pique les branches par petits bouts en prenant soin de respecter le sens de pousse des fleurs.

2 Ajouter des petits bouquets de Phalaris.

3 Compléter l'impression de flou par de petits bouquets d'Alchemille.

4 Apporter la couleur en piquant individuellement les Carthames,...

5 ... les Physalis et les Immortelles.

Boîte à souvenirs

VÉGÉTAUX
Nigelle 'orientalis'
Lagurus
Lin teinté bleu
Immortelle à bractées jaune
Carthame.

FOURNITURES
Boîte de galettes Saint-Michel en métal
Fil de fer
Mousse florale
Coquillages.

1 On place les Lagurus en petits bouquets de taille variable, les têtes d'un côté, les tiges de l'autre, pour donner l'impression d'un bouquet couché dans la boîte.

2 On fait la même chose que précédemment avec le Lin en donnant un peu plus de volume.

3 On colle les coquillages à l'endroit où normalement on tient le bouquet.

4 On ajoute les Carthames, les Nigelles et les Immortelles en les répartissant sur l'ensemble.

Pyramide

VÉGÉTAUX
Seigle
Avoine
Delphinium annuel bleu foncé
Carthame
Physalis
Statice sinuata bleu clair
Mousse d'Islande glycérinée, teintée jaune.

FOURNITURES
Cône en vannerie, sur trépied
Mousse florale
Fil de fer.

1 Réaliser la pointe de la pyramide avec une flèche de Seigle placée bien à la verticale. Piquer des bouquets d'Avoine à l'horizontale tout autour de la vannerie.

2 Épaissir la flèche de Seigle en ajoutant d'autres épis de plus en plus courts. Puis accentuer les bouquets de céréales par du Delphinium. Terminer la mise en place du graphisme avec de l'Avoine et du Delphinium.

3 Combler les trous avec du Statice sinuata. Répartir les Carthames sur toute la pyramide. Coller les Physalis et fixer la mousse d'Islande à l'aide de fil de fer double de manière à apporter une touche de couleur.

Poterie

VÉGÉTAUX
Blé à barbe
Delphinium annuel bleu foncé
Rose rouge 'Mercedes'
Mousse plate.

FOURNITURES
Pot en terre cuite
Mousse florale
Oasis fix
Tabouret.

1 Fixer la mousse florale dans le pot. Mettre en place le graphisme pyramidal avec le Blé. Piquer les épis toujours par deux ou trois tiges.

2 Ajouter le Delphinium en respectant la géométrie de l'arrangement.

3 Répartir les Roses en les disséminant sur la pyramide.

Chute de fleurs

VÉGÉTAUX
Avoine
Pomme de Pin
Statice sinuata
bleu clair
Carthame
Immortelle jaune
et orange
Gomphrena violet
Physalis.

FOURNITURES
Panier plat
Mousse florale
Fil de fer
Lierre artificiel
Morceaux de bois
ou cailloux
Floratape.

1 Placer la mousse en la laissant dépasser de 5 cm. Combler l'espace vide avec les Pommes de Pin et les morceaux de bois pour faire contrepoids.

2 Pour réaliser cette composition, il est nécessaire de travailler au bord de la table pour pouvoir placer la plus longue flèche d'Avoine vers le bas.

3 Accentuer le graphisme obtenu avec l'Avoine par des bouquets de Sorgho.

4 Commencer par combler le centre de l'arrangement par des taches de Statice.

5 Monter les Gomphrenas par petits bouquets sur du fil de fer. Les piquer dans la mousse florale.

6 Ajouter les branches de Physalis réalisées à l'aide de fil de fer et de floratape (p. 16).

7 Les Carthames sont placés tige par tige, alignés, pour réaliser des flèches accentuant celles qui existent déjà.

8 Ajouter le Lierre et les Immortelles.

TABLE DES MATIÈRES

LES COMPOSITIONS

L'ensemble des arrangements est tiré de **BOUQUETS SECS, côté jardin, côté salon**, paru aux éditions Dormonval.

Dépôt légal 1er trim. 1997 n° 2 310

Imprimé en C.E.E.